Œdipe et l'énigme du sphinx

Premières lectures

∗ Je commence à lire tout seul.
Une vraie intrigue, en peu de mots, pour accompagner
les balbutiements en lecture.

∗∗ Je lis tout seul.
Une intrigue découpée en chapitres pour pouvoir faire
des pauses dans un texte plus long.

∗∗∗ Je suis fier de lire.
De vrais petits romans, nourris de vocabulaire et de
structures langagières plus élaborées.

Hélène Kérillis a plongé dans la mythologie
grecque dès l'enfance et ne cesse de la revisiter. Elle
aime aussi l'art et les voyages, la lecture et l'écriture,
qui donnent de si belles couleurs à la vie.

Grégoire Vallancien dessine depuis toujours,
il aime beaucoup ça. Il aime aussi Paris et la
Méditerranée, les romans policiers et la mythologie.
Dessiner des histoires et surtout... en lire à ses
enfants!

Responsable de la collection :
Anne-Sophie Dreyfus
Direction artistique, création graphique
et réalisation : DOUBLE, Paris
© Hatier, 2014, Paris
ISBN : 978-2-218-98045-9
ISSN : 2100-2843

Achevé d'imprimer en France par Clerc
Dépôt légal : n° 98045-9/03 - décembre 2015

PAPIER À BASE DE
FIBRES CERTIFIÉES

Hatier s'engage pour
l'environnement en réduisant
l'empreinte carbone de ses livres
Celle de cet exemplaire est de :
250 g éq. CO_2
Rendez-vous sur
www.hatier-durable.fr

MA PREMIÈRE
MYTHOLOGIE

Œdipe et l'énigme du sphinx

adapté par Hélène Kérillis
illustré par Grégoire Vallancien

HATIER
POCHE

Créon, le frère
de la reine

La reine
de Thèbes

4

Le sphinx,
un monstre cruel

Œdipe,
un étranger courageux

CHAPITRE 1

La menace

Un monstre s'est installé au pied des remparts de Thèbes : un sphinx. Il a un corps de lion, une tête de femme, des ailes de vautour et une queue de serpent.

Il arrête les gens au hasard et leur
pose une question difficile. Si difficile
qu'ils ne trouvent pas la réponse. Alors
le monstre les dévore. Des hommes
courageux ont tenté de l'affronter.
Ils ont tous échoué.

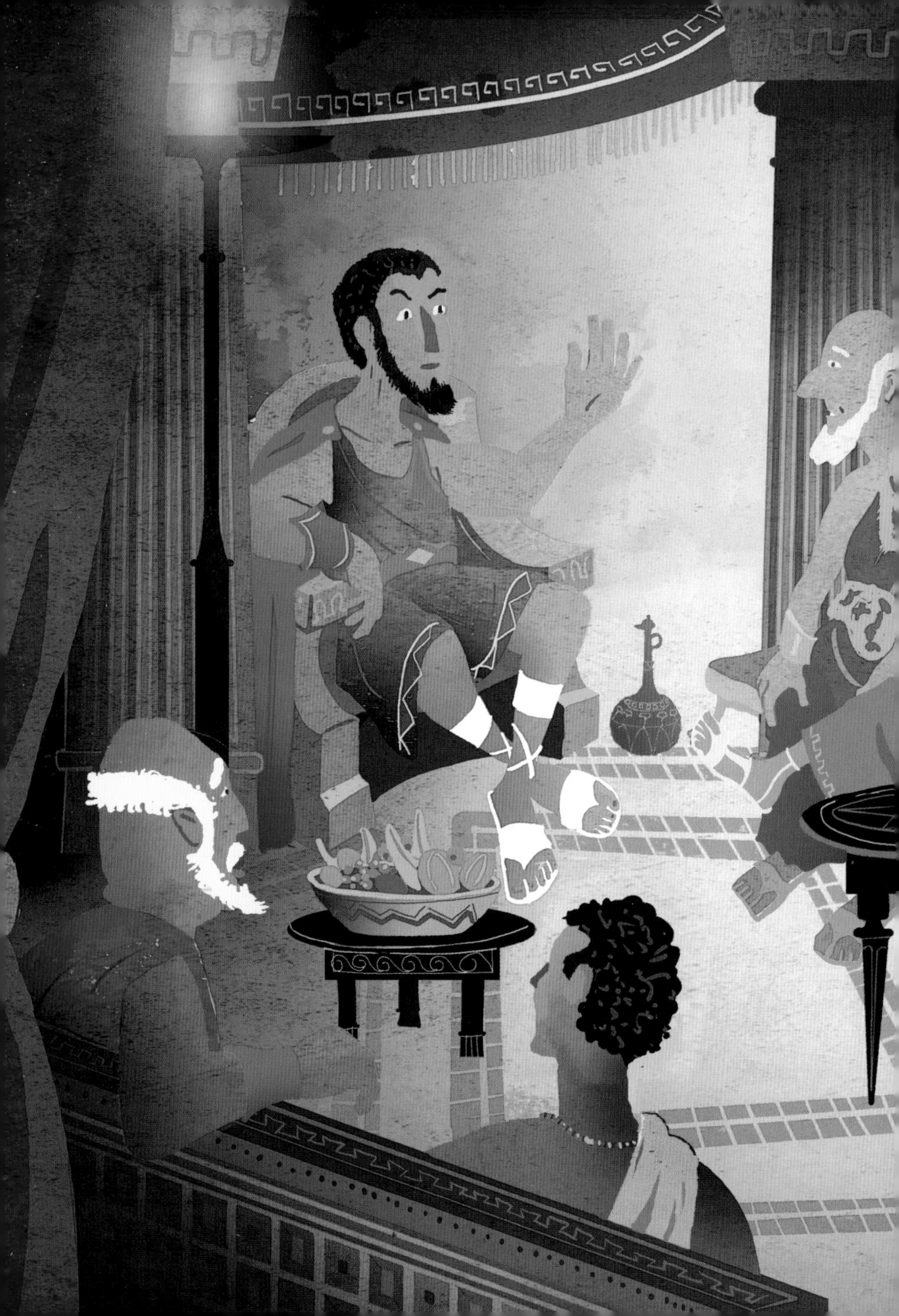

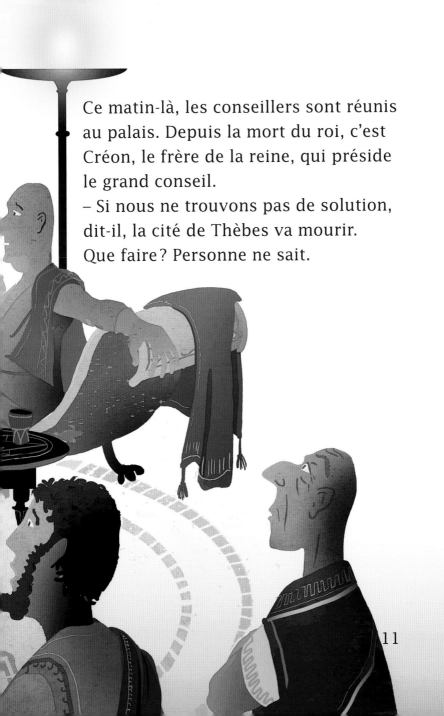

Ce matin-là, les conseillers sont réunis
au palais. Depuis la mort du roi, c'est
Créon, le frère de la reine, qui préside
le grand conseil.
– Si nous ne trouvons pas de solution,
dit-il, la cité de Thèbes va mourir.
Que faire? Personne ne sait.

11

Créon s'accoude à la fenêtre. Les rues sont désertes. Les champs sont abandonnés. Plus un paysan qui travaille la terre. Plus un marchand qui ose venir acheter ou vendre : le sphinx surgit n'importe quand et s'attaque à n'importe qui.

13

– Ça ne peut plus durer! dit Créon en se retournant vers les conseillers. Si personne à Thèbes n'est capable de venir à bout de ce monstre, il faut chercher ailleurs.

– Mais… Personne ne voudra risquer sa vie pour nous! dit un conseiller.
– Ça dépend. Si nous offrons une très grosse récompense, nous trouverons!

15

On fait le tour des idées. On prend
l'avis de la reine.
Enfin, on se met d'accord. Alors Créon
fait venir un garde et donne ses ordres :
– Qu'on proclame notre décision
dans toute la cité : celui qui vaincra
le sphinx deviendra roi de Thèbes!

CHAPITRE 2
L'étranger

Le même jour, un jeune homme arrive à Thèbes. Il n'a plus ni parents ni famille.

Il se demande que faire de sa vie quand il entend la proclamation officielle :
– Celui qui répondra à l'énigme du sphinx sauvera la cité de Thèbes. En récompense, il épousera la reine et deviendra roi!

21

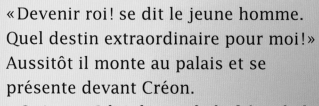

«Devenir roi! se dit le jeune homme.
Quel destin extraordinaire pour moi!»
Aussitôt il monte au palais et se
présente devant Créon.
– Qui es-tu? lui demande le frère de la
reine.
– Mon nom est Œdipe et je suis seul au
monde.

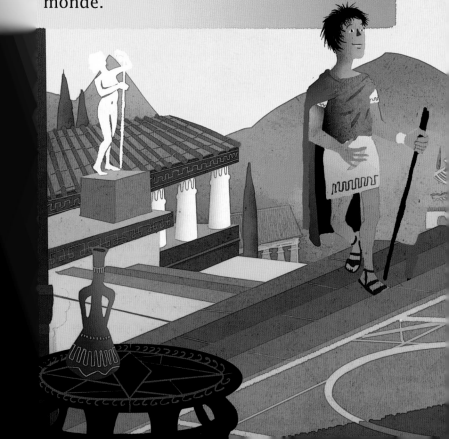

Créon observe le jeune homme. Sportif, le regard intelligent, il semble le héros idéal.

– Mais je suis pauvre, et je suis un étranger, dit le jeune homme. Si je réussis, tiendras-tu ta promesse?

– Je n'ai qu'une parole! Si tu sors vainqueur, tu seras roi.

– Parfait! Je suis prêt à tout!

Cependant, Créon hésite. L'étranger est bien jeune. Comprend-il réellement qu'il risque sa vie?

– Sais-tu que le monstre est sans pitié?

– Je n'ai pas peur!

– Alors va! Et que les dieux te protègent!

25

La nouvelle se répand dans la ville à la vitesse de l'éclair : un étranger a répondu à l'appel de Créon! Un héros est prêt à affronter le sphinx! En un instant, les rues sont noires de monde.

Pleins d'espoir, les Thébains se massent sur les remparts. On ouvre les portes de la cité. Œdipe sort. Il s'arrête au milieu de la route. Il attend le monstre.

CHAPITRE 3
Face à face

Œdipe est seul au pied des remparts.
Il met ses mains en porte-voix et crie
vers le ciel :
– Sphinx! Je suis là! Qui que tu sois, je
suis prêt à t'affronter!

Aussitôt, le sol tremble sous les pattes de la bête qui arrive au galop. Ses ailes claquent dans l'air, non pour voler mais pour terrifier son adversaire. Le sphinx s'arrête sur un rocher, à quelque distance d'Œdipe.

Sur les remparts, les Thébains retiennent leur souffle. Leur héros ne manque ni de force ni de courage. Mais la force ne sert à rien contre le monstre. C'est le sang-froid et l'intelligence qui comptent. Cet Œdipe est-il vraiment de taille à vaincre le sphinx?

Le monstre agite sa queue de serpent.
Il grince des dents. Il fait crisser ses
griffes sur le roc.
– Avance! hurle-t-il à Œdipe.
Et il regarde sa future victime en
grognant de plaisir : encore un
misérable humain qui se croit plus
fort que lui, le sphinx! Dans quelques
instants, il se traînera à ses pieds en
suppliant, comme les autres. Et comme
les autres, il mourra.
Œdipe s'avance au pied du rocher.
Il se dégage du monstre une impression
de puissance qui fait frémir. Mais
Œdipe ne se laisse pas impressionner.
Il rassemble les forces de son
intelligence.

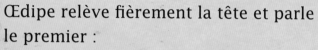

Œdipe relève fièrement la tête et parle
le premier :
– Alors ? Quelle est cette énigme ?
Je t'écoute !
Le sphinx pousse un cri sauvage,
ses yeux lancent des éclairs.
Quel est donc cet homme qui ose
le défier ?

Sans attendre, il pose la question de vie ou de mort :
– Quelle est la créature qui a quatre pattes le matin, deux à midi et trois le soir?

CHAPITRE 4
Victoire!

L'esprit d'Œdipe se met à travailler à toute vitesse. Une créature... Donc un être vivant. Avec des pattes... Donc un être qui marche. Ni un poisson ni un oiseau sans doute. Mais comment peut-on avoir un nombre différent de pattes au cours d'une journée? À moins que...
– Eh bien? s'écrie le sphinx en agitant les ailes avec impatience.

Œdipe ne se laisse pas distraire.
Il poursuit son raisonnement. Matin,
midi, soir… Si c'était une manière de
parler pour désigner toute une vie?
Enfance, âge adulte, vieillesse? Oui,
sûrement. La créature en question,
c'est…
– Alors? hurle encore le sphinx.
Déjà ses griffes raclent le rocher, prêtes
à déchiqueter. Il se redresse, comme
pour se jeter sur Œdipe.
Mais le héros plante ses yeux dans les
yeux du monstre et dit :
– Cette créature, c'est l'homme! Au
matin de sa vie, il est bébé et marche
à quatre pattes. À midi, adulte, il se
déplace sur deux pattes. Au soir, quand
il est vieux, il s'aide d'une canne.

À ces mots, le sphinx fait un bond en arrière. Ses yeux roulent dans tous les sens, affolés. Il gronde, il bave, il trépigne. Et d'un coup, il dégringole de son rocher et s'enfuit en bonds désordonnés.

41

Œdipe ne crie pas victoire tout de suite.
Le sphinx va-t-il partir pour toujours?
Comment en être sûr? C'est alors qu'on
entend un cri de rage, un bruit de
chute, puis plus rien.
Le monstre s'est jeté dans un ravin. Tel
était son destin : mourir quand l'énigme
serait résolue.

Une immense clameur monte au-dessus des remparts de Thèbes : Œdipe est victorieux! L'intelligence l'a emporté sur la sauvagerie!

On ouvre les portes de la cité. La foule accourt et porte le jeune homme en triomphe.
– Vive Œdipe!
– Vive notre héros!

45

La reine l'accueille à bras ouverts.
Créon, fidèle à sa promesse, lui offre
le royaume de Thèbes. C'est ainsi
qu'Œdipe l'étranger épouse la reine et
monte sur le trône.

HATIER
POCHE

POUR DÉCOUVRIR :

> **des fiches pédagogiques** élaborées par les
enseignants qui ont testé les livres dans leur classe,
> **des jeux** pour les malins et les curieux,
> **les vidéos** des auteurs qui racontent leur histoire,

rendez-vous sur

www.hatierpoche.com